zep

happy Sex 2

delcourt

Dépôt légal : septembre 2019. ISBN : 978-2-413-01519-2
Première édition

Éditeur : Guy Delcourt
Conception graphique : Zep
Mise en page : Trait pour Trait

Achevé d'imprimer en juin 2019
sur les presses de l'imprimerie Lesaffre, à Mouscron, Belgique

www.editions-delcourt.fr

www.happy-sex.fr

fan.

CE SOIR, J'AI ENVIE DE FAIRE L'AMOUR
BIZ
ON SE RETROUVE DANS LA CHAMBRE ?
YES !
YES !
KLK
CE SOOIR
CE SOOOIR
CE SOOOIR
ON VOUS MEEET
ON VOOUS MEET
...MA BIIIITE !
PLOP
PLOP
ON VA BAISEER !
ON VA BAISEEE...
JE CROYAIS QUE TU NE VENAIS PAS REGARDER LE MATCH, CE SOIR ?
LAISSE TOMBER.
2-1

30 millions de sado masos.

Sodo.

BON... ON ESSAIE ?
BEN... JE SAIS PAS.
C'EST SI TU VEUX ...

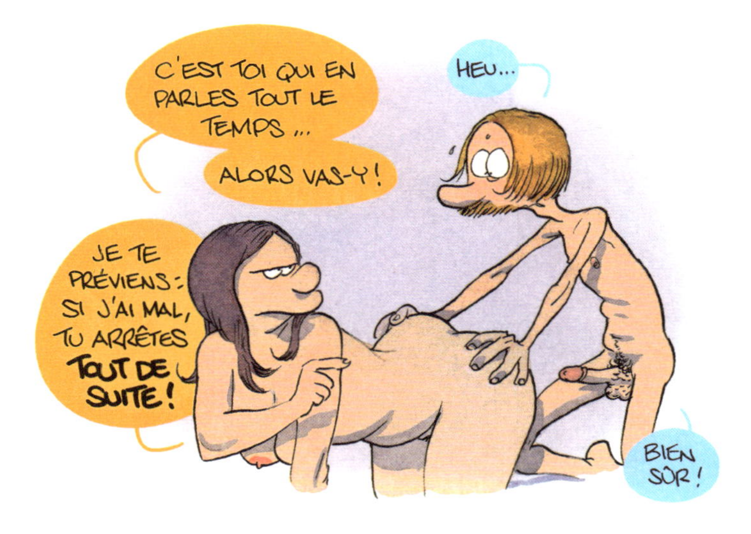

C'EST TOI QUI EN PARLES TOUT LE TEMPS ...
HEU...
ALORS VAS-Y !
JE TE PRÉVIENS : SI J'AI MAL, TU ARRÊTES **TOUT DE SUITE !**
BIEN SÛR !

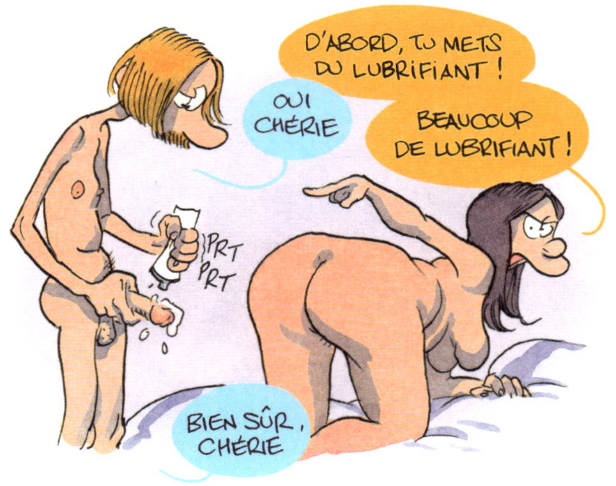

D'ABORD, TU METS DU LUBRIFIANT !
OUI CHÉRIE
BEAUCOUP DE LUBRIFIANT !
PRT PRT
BIEN SÛR, CHÉRIE

HEU... PRÊTE ?
GRMBLL
IL FAUT QUE TU TE DÉTENDES, MA DOUCEUR ...
JE SUIS DÉTENDUE ! **MERDE !**

ATTENTION ... J'Y VAIS.
ÇA VA ?
JE CONTINUE ?
MMM

AÏE ! AÏE !
SORS TOUT DE SUITE !!

ÇA FAIT HYPER MAL !
TAP TAP
ESPÈCE DE MALADE !!
TAP
PARDON MON SUCRE

CE QUI EST EXCITANT AVEC LA SODOMIE, C'EST LE CÔTÉ "DOMINATION" ...

présentation.

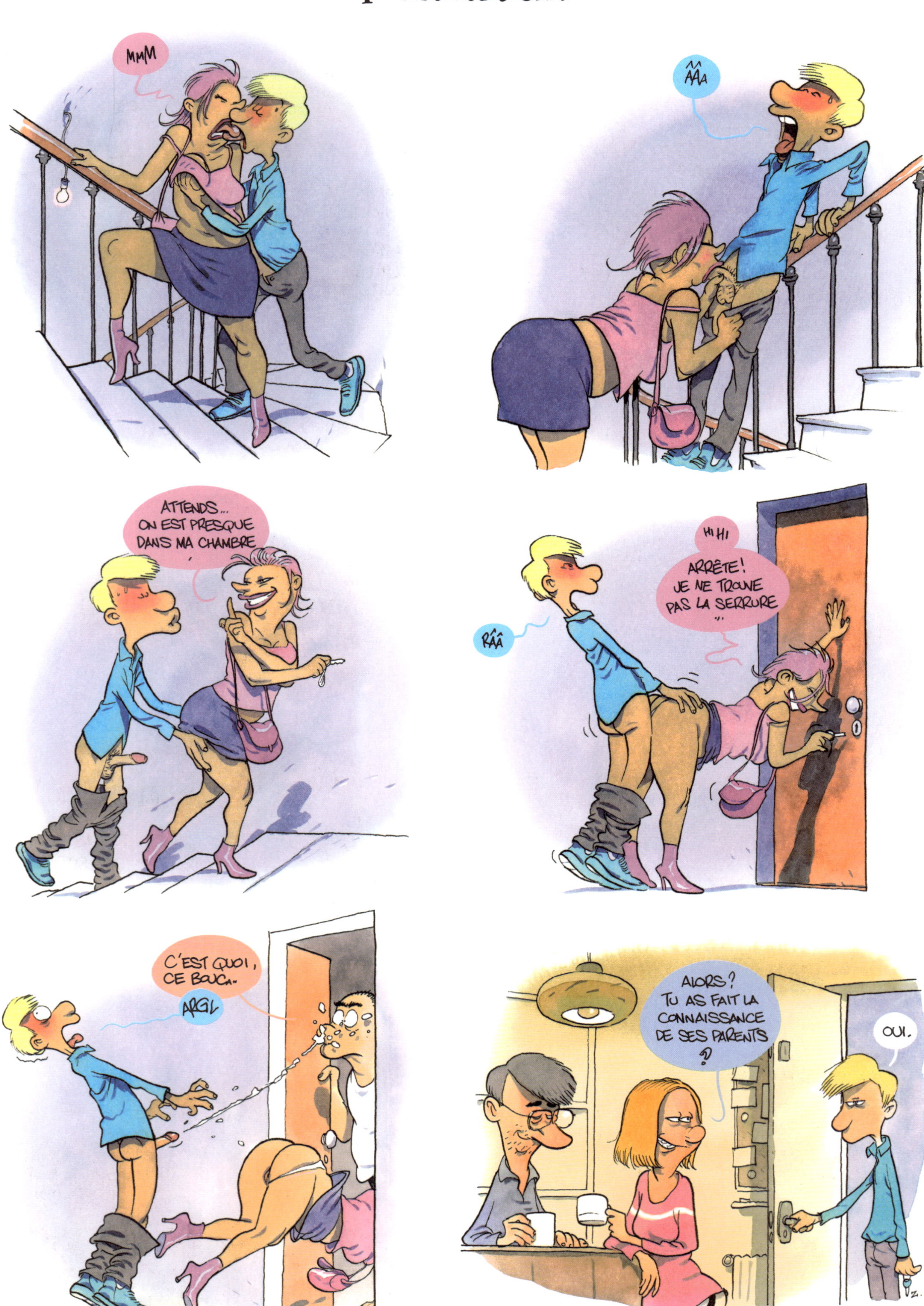

fontaine.

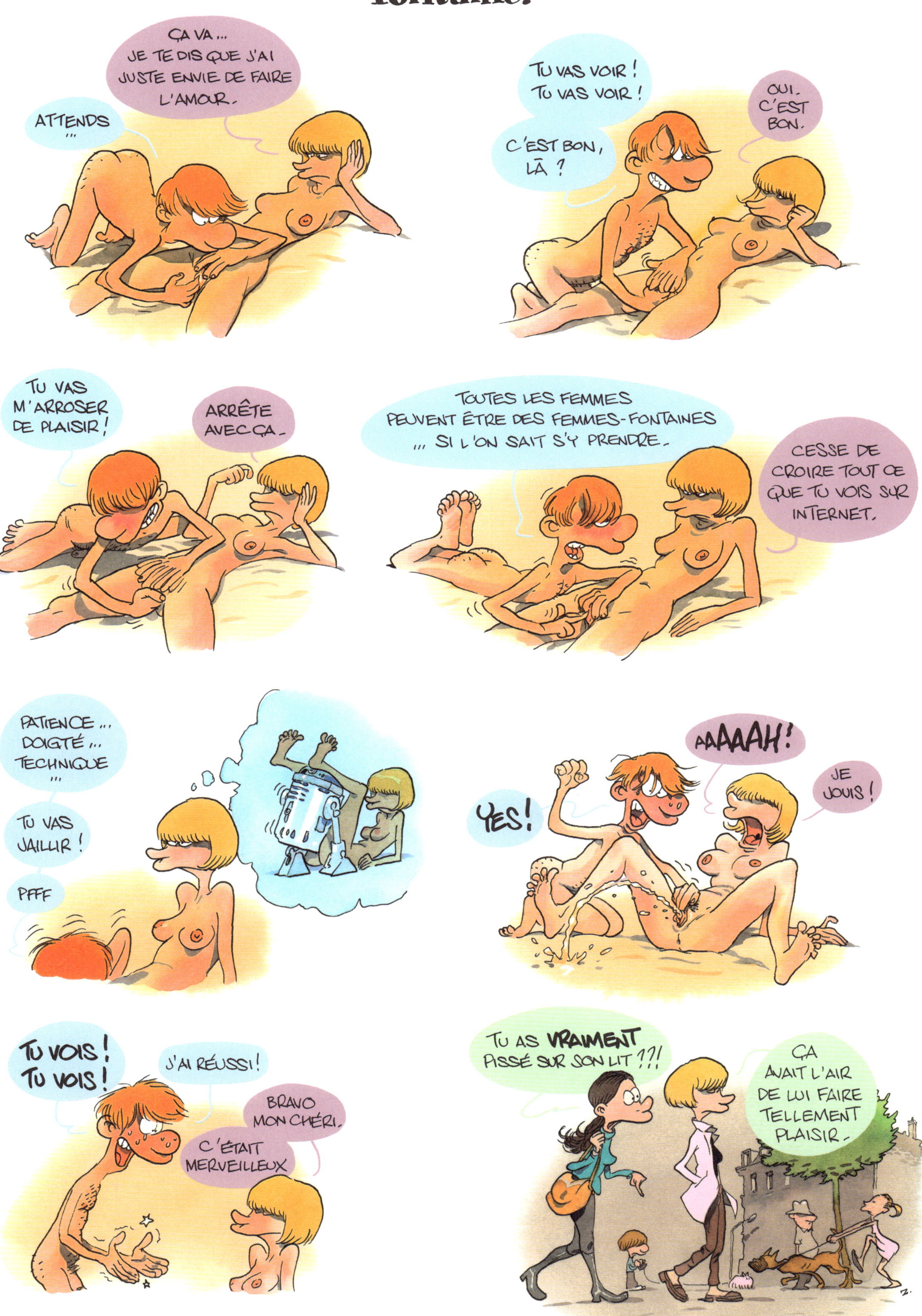

ATTENDS ...
ÇA VA ... JE TE DIS QUE J'AI JUSTE ENVIE DE FAIRE L'AMOUR.
TU VAS VOIR ! TU VAS VOIR !
C'EST BON, LÀ ?
OUI. C'EST BON.
TU VAS M'ARROSER DE PLAISIR !
ARRÊTE AVEC ÇA.
TOUTES LES FEMMES PEUVENT ÊTRE DES FEMMES-FONTAINES ... SI L'ON SAIT S'Y PRENDRE.
CESSE DE CROIRE TOUT CE QUE TU VOIS SUR INTERNET.
PATIENCE ... DOIGTÉ ... TECHNIQUE ...
TU VAS JAILLIR !
PFFF
AAAAAH !
YES !
JE JOUIS !
TU VOIS ! TU VOIS !
J'AI RÉUSSI !
BRAVO MON CHÉRI.
C'ÉTAIT MERVEILLEUX
TU AS VRAIMENT PISSÉ SUR SON LIT ?!?!
ÇA AVAIT L'AIR DE LUI FAIRE TELLEMENT PLAISIR.

politique du pénis.

dominatrice.

Connect.

TU ES TOUT SEUL DANS TA CHAMBRE D'HÔTEL ?
OUI.
GÉNIAL ! ON ESSAIE ?
J'AI HYPER ENVIE !

TU AS BIEN TÉLÉCHARGÉ LE PROGRAMME ?
OUI, OUI...
ALORS, OUVRE L'APPLI extaZ...
EX... ...TAZ. C'EST OÙ ?

SUR TON ÉCRAN !!
VAS-Y ! JE SUIS BRÛLANTE !
ÇA Y EST !
JE L'AI !

MMM... ENFILE TON SEXE DANS LE MASTURBATEUR !
LÀ-DEDANS ?
T'ES SÛRE QUE JE NE RISQUE PAS DE M'ÉLECTROCUTER ?

HÉÉÉ! IL S'ENCLENCHE TOUT SEUL !!
C'EST MOI QUI L'ALLUME, IDIOT !
... ON EST CONNECTÉS !
VRIZZZ

GÉÉÉNIAL !
HI HI ! ÇA CHATOUILLE ...
ÇA ME SERRE UN PEU TROP...
DIS-MOI DES TRUCS COCHONS
ON PEUT RÉGLER ...
HEU SALOPE ?
VRIZZZ

SUR TON APPLI !! VA DANS LES PARAMÈTRES !
PA... RA... MÈTRES ...
HEU...
RÂÂÂH...
VRRzZzZ

JE SUIS OBLIGÉ DE CHOISIR LE FOND D'ÉCRAN MAINTENANT ?
NOOON ! DÉPÊCHE-TOI... JE .. VAIS JOUIR !
J'Y SUIS !
VZZZZ

"CURSEUR DE PRESSION"... JE SÉLECTIONNE "MÉDIUM" ?
AAAAAH
VRZZZZ

MMMM
ÇAAA Y EST ...
AH ?
IL ME DEMANDE UN MOT DE PASSE ...

VOUS AVEZ ESSAYÉ LE SEXE "CONNECTÉ" ?
IMMENSE !
MAIS JE CROIS QUE CE SERA ENCORE MEILLEUR ...
SI JE DÉCONNECTE MON MEC.

threesome.

J'AI INVITÉ PASCAL...
CE SOIR, ON ESSAIE LA DOUBLE PÉNÉTRATION
SALUT.
HEU... SALUT.
BON.
CE SERA PLUTÔT PASCAL DEVANT ET TOI DERRIÈRE
HUM ...
SANS RANCUNE, MEC ?
ÇA GLISSE
J'ARRIVE PAS À RENTRER
ZOUIP
ZOUIP
VOUS BOUGEZ TROP !
JE PEUX PAS TROUVER L'ENTRÉE ...
ZWIP
PFFF...
VAS-Y À L'INSTINCT !
METS BEAUCOUP DE LUBRIFIANT ET PRENDS MON CUL !
ALLEZ HOP !
VAZY GROS !
VOILÀ VOILÀ ...
YEEAAAH !
...?
YAAAAAA
ALORS ? VOUS AVEZ ESSAYÉ LA DOUBLE PÉNÉ, AVEC MÉLISSA ?
C'EST TRÈS SURÉVALUÉ

diplômé youporn.

XS.

J'AIME AUTANT TE PRÉVENIR : J'AI UNE PETITE BITE.
?
POURQUOI TU ME DIS ÇA ?
RAW

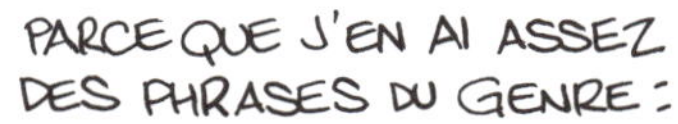
PARCE QUE J'EN AI ASSEZ DES PHRASES DU GENRE :

HEU... C'EST MIGNON

TOI, TU DOIS BIEN SAVOIR LÉCHER

SINON J'AI NETFLIX.

C'EST PAS LA TAILLE QUI COMPTE.

EH BEN EH BEN EH BEN ...

TOI, AU MOINS, TU POURRAS ME SODOMISER

TU SAVAIS QUE, DANS LA GRÈCE ANTIQUE, C'ÉTAIT UN SIGNE DE SUPÉRIORITÉ
?

...BREF, TE SENS PAS OBLIGÉE DE ...
EFFECTIVEMENT, ELLE EST PAS TRÈS GRANDE ...

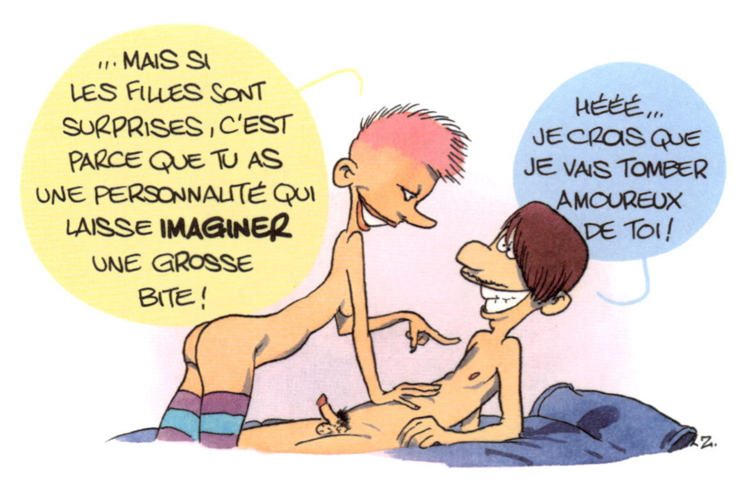
... MAIS SI LES FILLES SONT SURPRISES, C'EST PARCE QUE TU AS UNE PERSONNALITÉ QUI LAISSE **IMAGINER** UNE GROSSE BITE !
HÉÉÉ... JE CROIS QUE JE VAIS TOMBER AMOUREUX DE TOI !

revenge porn.

Shopping.

TROP GROS ...
TROP TECHNO. ELLE ARRIVERA PAS À L'UTILISER.
C'EST DÉJÀ COMPLIQUÉ AVEC SON TÉLÉPHONE.
OUAIS, IL FAUDRAIT UN MODÈLE PLUS BASIQUE.
AH NON ! PAS UN NOIR !!
ELLE EST BIEN TROP RÉAC ...
TROP BLING-BLING
VULGAIRE.
QUELLE HORREUR ! ON DIRAIT DU NAPOLÉON III
ELLE EST BEAUCOUP PLUS LOUIS-PHILIPPE ...
AH NON ! CETTE COULEUR NE LUI VA **PAS DU TOUT.**
ÇA LA VIEILLIT TERRIBLEMENT.
N'IMPORTE QUOI !
LOVE SHOP
DICKY
FRANCHEMENT, JE SUIS PAS SÛRE QUE CE SOIT **LA** BONNE IDÉE POUR LA FÊTE DES MÈRES ...

Synchro.

AÏïIE

ARG!

OUCH!
TONK

AAYy!

ÉCOUTE... NE LE PRENDS PAS MAL, MAIS JE CROIS QUE NOS CORPS N'ARRIVENT PAS À TROUVER... HEU... UNE... UNE HARMONIE.
OUI.

C'EST PAS GRAVE. JE SUIS HEUREUX DE T'AVOIR CONNUE ! ON PEUT RESTER AMIS, D'ACCORD ?

... ET LÀ, ON S'EST APPROCHÉS LES DEUX EN MÊME TEMPS, POUR S'EMBRASSER.
Z.

Santé !

AXELLE, JE LA KIFFE À FOND !

MAIS COMME JE SUIS TROP TIMIDE POUR ALLER LUI PARLER, JE BOIS AVEC MES POTES.

APRÈS TROIS CANETTES, JE NE SUIS PLUS TIMIDE DU TOUT.

JE SUIS MÊME CARRÉMENT HYPER CHAUD...

...ET ÇA FAIT REMONTER LA BIÈRE.

AXELLE, ÇA LUI PLAÎT PAS TROP.

J'AI PLUS QU'À ALLER PISSER MES CANETTES.

BOIRE ET DRAGUER, C'EST NUL.

Z.

noces d'anus.

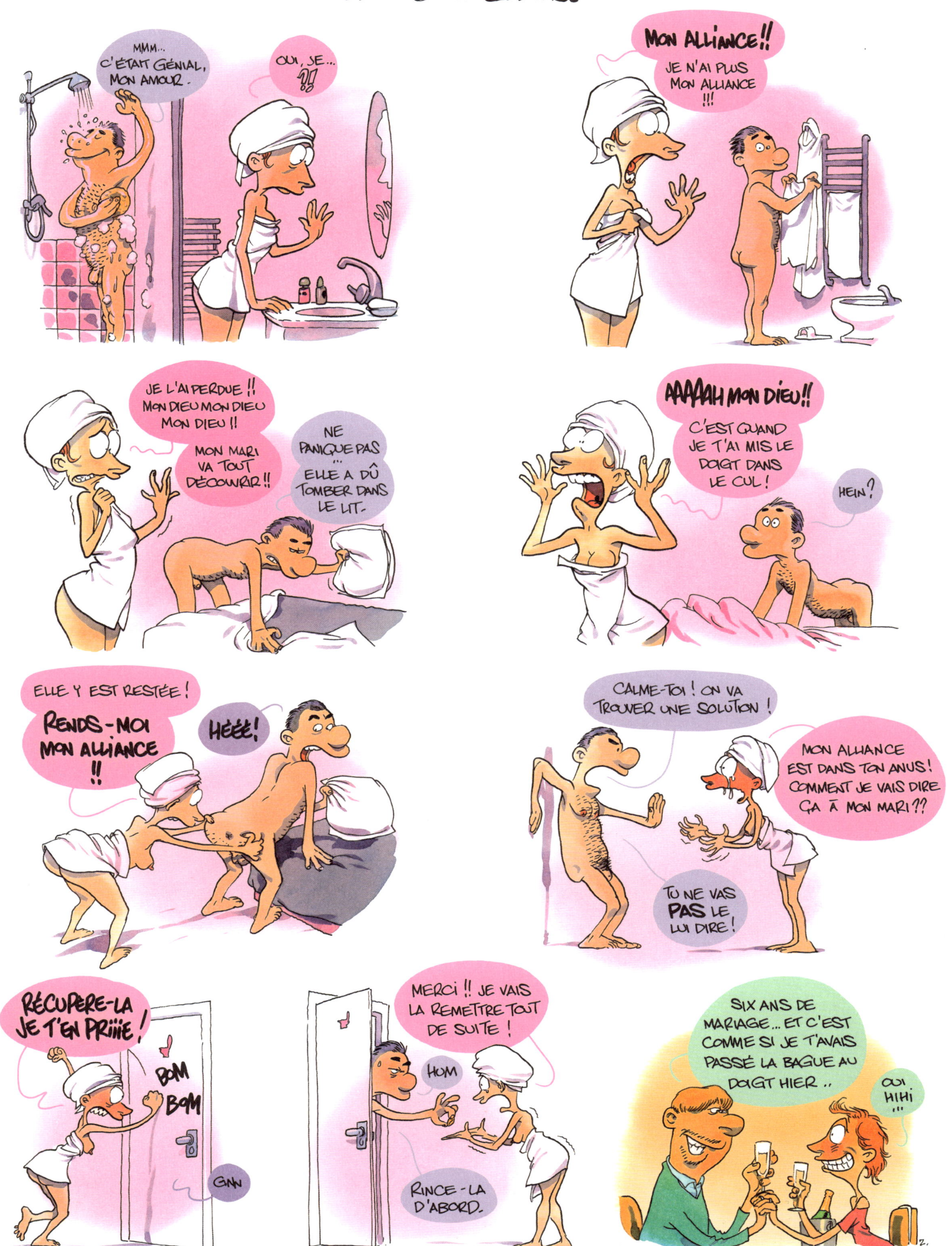

MMM... C'ÉTAIT GÉNIAL, MON AMOUR.
OUI, JE... ?!!
MON ALLIANCE!! JE N'AI PLUS MON ALLIANCE !!!
JE L'AI PERDUE !! MON DIEU MON DIEU MON DIEU !!
MON MARI VA TOUT DÉCOUVRIR !!
NE PANIQUE PAS... ELLE A DÛ TOMBER DANS LE LIT.
AAAAAH MON DIEU !!
C'EST QUAND JE T'AI MIS LE DOIGT DANS LE CUL !
HEIN ?
ELLE Y EST RESTÉE !
RENDS-MOI MON ALLIANCE !!
HÉÉÉ !
CALME-TOI ! ON VA TROUVER UNE SOLUTION !
MON ALLIANCE EST DANS TON ANUS ! COMMENT JE VAIS DIRE ÇA À MON MARI ??
TU NE VAS PAS LE LUI DIRE !
RÉCUPÈRE-LA JE T'EN PRIIIE !
BOM BOM
GNN
MERCI !! JE VAIS LA REMETTRE TOUT DE SUITE !
HOM
RINCE-LA D'ABORD.
SIX ANS DE MARIAGE... ET C'EST COMME SI JE T'AVAIS PASSÉ LA BAGUE AU DOIGT HIER ..
OUI HIHI ...

JOUR
NUIT
JOUR
NUIT
JOUR
NUIT
JOUR
N...
JE SENS QUE JE NE SUIS PAS PRÈS DE JOUIR AVEC CE SEX-TOY LUMINEUX.

bite-service.

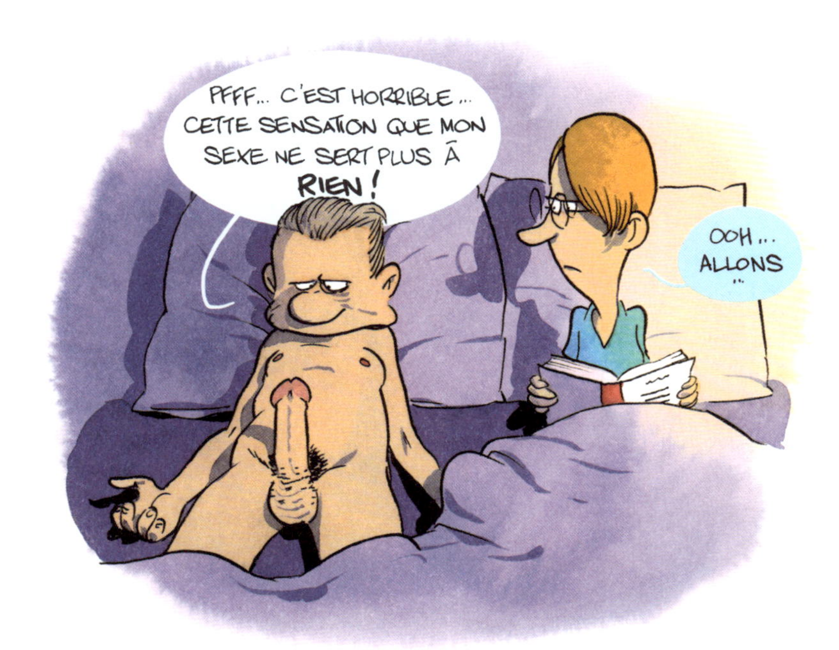

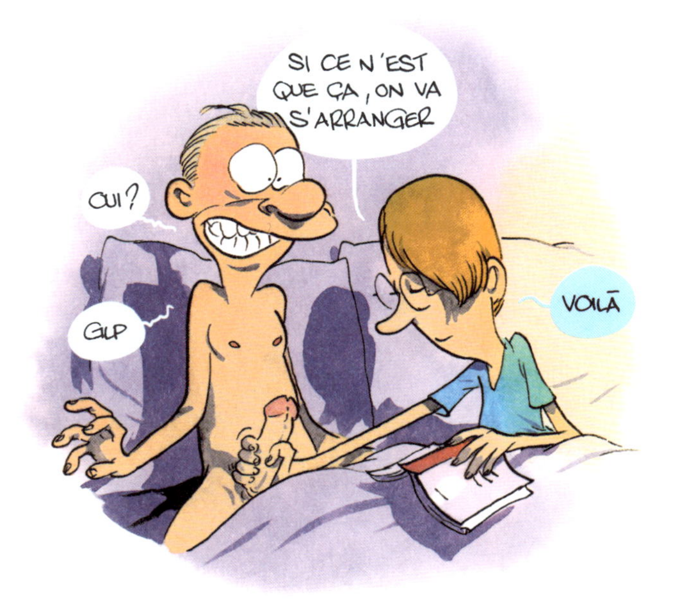

welcome to the future.

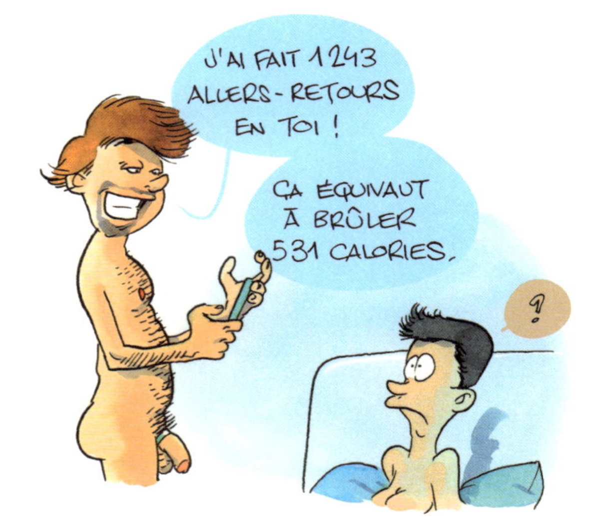

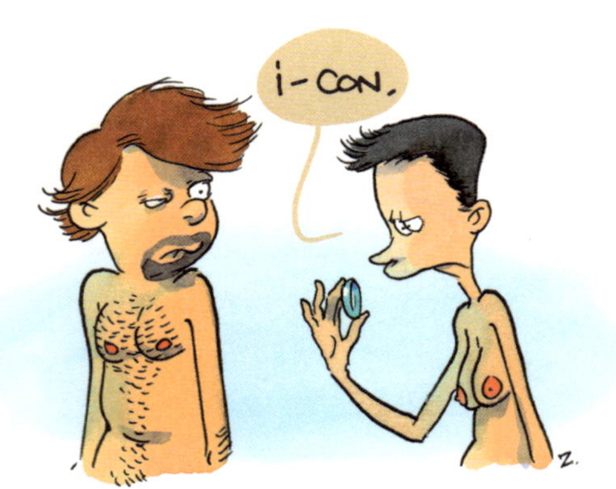

l'élu.

AVEC TOI, JE ME SENS VRAIMENT MOI-MÊME
SEXUELLEMENT.
AH ?

FINI D'ACCEPTER DES CHOSES QUI NE ME RESSEMBLENT PAS.
... COMME J'AI PU LE FAIRE AVANT TOI.
AH BON.

CES VIDÉOS OÙ JE ME MASTURBE SUR UNE PLAGE, DEVANT DES MECS
... C'ÉTAIT POUR FAIRE PLAISIR À ÉRIC.
MAIS CE N'ÉTAIT PAS MOI.
TU AS FAIT DES VIDÉOS ?
OUI, MAIS ELLES SONT NULLES.

JE NE ME SUIS PAS ÉCOUTÉE QUAND J'AI BAISÉ AVEC FRANK ET SON POTE ... NI QUAND ILS M'ONT PRISE EN SANDWICH.
... EN SANDWICH ?
OUI, PAS DU TOUT MON GENRE.

ET CES PLANS ÉCHANGISTES AVEC LAURENT ... ME RETROUVER À LÉCHER DES FILLES QUE JE CONNAISSAIS MÊME PAS PENDANT QUE NOS MECS NOUS ÉJACULAIENT DESSUS ...
JE NE LE FERAI PLUS !

LES PARTOUZES, C'ÉTAIT POUR GILLES ... JE N'ÉTAIS PAS À L'ÉCOUTE DE MON DÉSIR PERSONNEL.

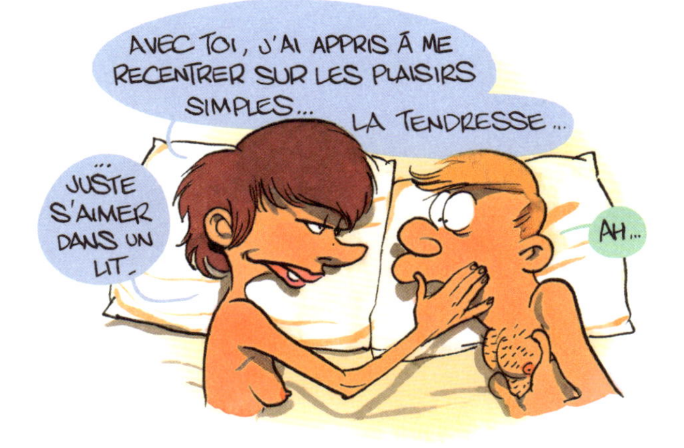

AVEC TOI, J'AI APPRIS À ME RECENTRER SUR LES PLAISIRS SIMPLES...
LA TENDRESSE ...
... JUSTE S'AIMER DANS UN LIT.
AH...

GRÂCE À TOI, JE SUIS VRAIMENT MOI.
SUPER.
Z.

lexical sex.

MMM
YEAH !

?
YEAH !
YEAH !
YEAH !

YES...
EXCUSE-MOI, MAIS...
POURQUOI TU PARLES ANGLAIS, LÀ ?

BEN... CHAIS PAS, ÇA ME VIENT COMME ÇA
COMME DANS UN PORNO, QUOI !
MAIS ON N'EST PAS SUR YOUPORN !!
MOI, ÇA ME BLOQUE

QU'EST-CE QUE JE DOIS DIRE, ALORS ?
HEU... JE SAIS PAS...
"OH OUI" PAR EXEMPLE !

"OH OUI" ? T'ES SÉRIEUX ?!
J'AURAIS L'IMPRESSION DE BAISER AU MOYEN ÂGE !
PFFF... BON.

YEAH !
OH YEAH !
YES !
Z.

gynéco de cuisine.

Suspense érotique.

J'AI ENVIE DE RESPIRER TON COU... DE M'ENIVRER À TON ODEUR...
MMM

TA PEAU ! TA PEAU !
AAAH...
C'EST MON FESTIN !

OOH... TE CARESSER... ME BRÛLER CONTRE TOI !
MMM

LAISSE-MOI TE PRENDRE
OUI.
SINON, JE VAIS MOURIR DE DÉSIR

OÔOH
MMM
RÂH !
OUII

FRANCHEMENT...
...À QUEL MOMENT T'AS DEVINÉ QU'ON ALLAIT BAISER ?
Z.

décrivez l'orgasme.

bonne fée.

RENCONTRESEXE.COM TU ES SÛRE QUE C'EST BIEN ?
GÉNIAL.
OH LÀ LÀ... 'FAUT S'INSCRIRE, J'Y COMPRENDS RIEN.
METS TON PSEUDO

UN PSEUDO ? HEU...
ON S'EN FICHE... METS N'IMPORTE QUOI
TIP TIP TIP

ATTENDS... "AVALEUSE 93" C'EST UN PEU...
T'AURAS PLUS DE RÉPONSES ...
LA PHOTO, MAINTENANT !!
AH ?

TU VEUX METTRE CETTE PHOTO ?
BEN ...
C'EST MA PHOTO DE PROFIL
OH, MON DIEU !

T'EN AS D'AUTRES ? ... FAIS VOIR... VOILÀ !
MAIS... C'ÉTAIT IL Y A QUINZE ANS !
C'EST TOI, NON ?

IL FAUT COCHER TES PRÉFÉRENCES ...
Ø SODOMIE
J'AIME PAS TROP ...
TU T'EN FICHES, C'EST JUSTE POUR AVOIR PLUS DE RÉPONSES ...

Ø TRIOLISME
Ø ÉJACULATION FACIALE
Ø GANG BANG
Ø DOUBLE PÉ
HÉÉÉ ARRÊTE !
TU FAIS N'IMPORTE QUOI !
clic clic
clic

JE FAIS N'IMPORTE QUOI ?? JE FAIS ÇA POUR T'AIDER !! MAIS SI TU PRÉFÈRES PASSER TES NUITS TOUTE SEULE, ALORS DÉBROUILLE-TOI !
MAIS ...

TING !

J'AI DE LA CHANCE D'AVOIR UNE AMIE QUI ME TROUVE DES PLANS POUR ME FAIRE SODOMISER DANS UN PARKING PAR UNE ÉQUIPE DE RUGBY.

85f.

ÇA DOIT ÊTRE COOL D'AVOIR DES GROS SEINS...
LES MECS DOIVENT TRIPER !
OUAIS BOH...
ÇA DÉPEND.

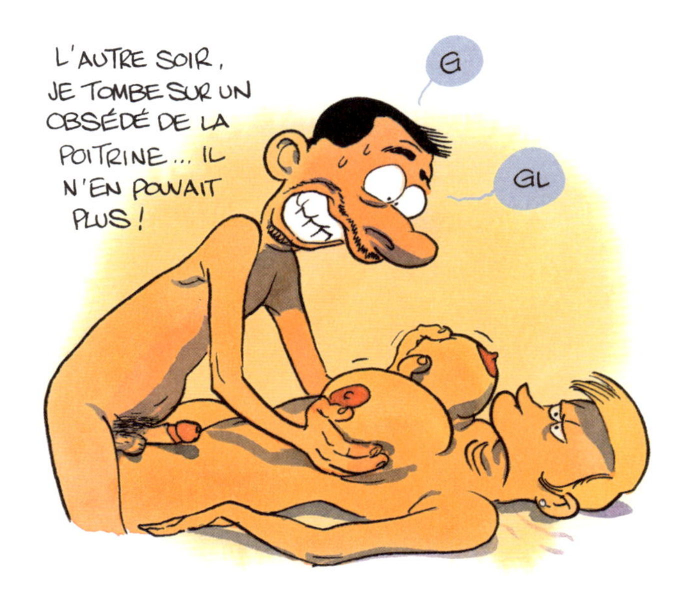
L'AUTRE SOIR, JE TOMBE SUR UN OBSÉDÉ DE LA POITRINE... IL N'EN POUVAIT PLUS !
G
GL

OÔOH
IL SE MET À SE BRANLER ENTRE MES NICHONS...
OOUH...

ÇA DOIT ÊTRE EXCITANT...
BEN...

EN FAIT, C'EST COMME SI J'AVAIS HOMER SIMPSON SUR MON VENTRE...

DU COUP, J'AI ÉCLATÉ DE RIRE ET ÇA A PLANTÉ LA SOIRÉE.
Z.

immersif.

HÉ HÉ
MMM
WOO!
MM
SLRP
HMM
HI HI
... HEU
?
AAH
OH OUI!
VOILÀ.
MAIS...
?
?
?
?
COMME ÇA, TU VOIS CE QUE ÇA FAIT D'AVOIR UN CLITORIS ...
... ET UN MEC PAS FOUTU DE LE TROUVER.
Z.

l'effet surpise.

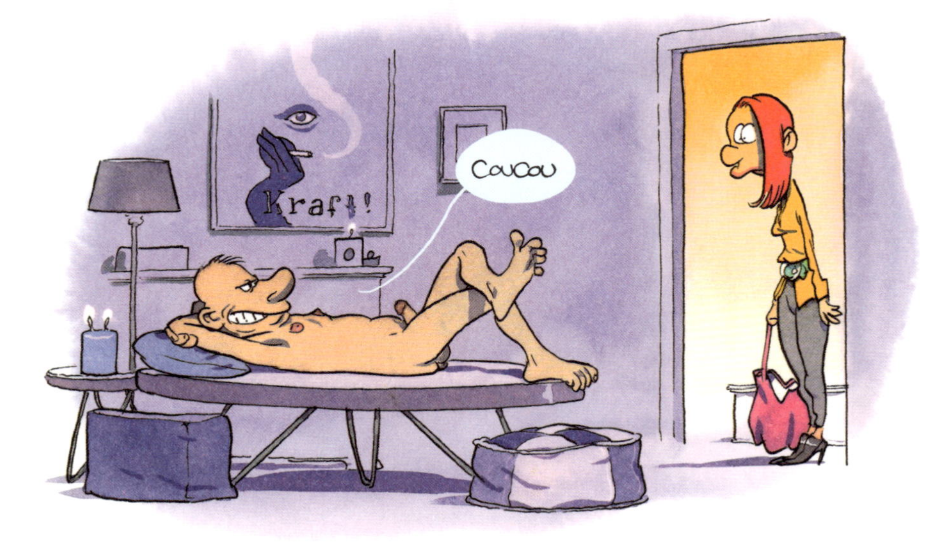

grand bonheur.

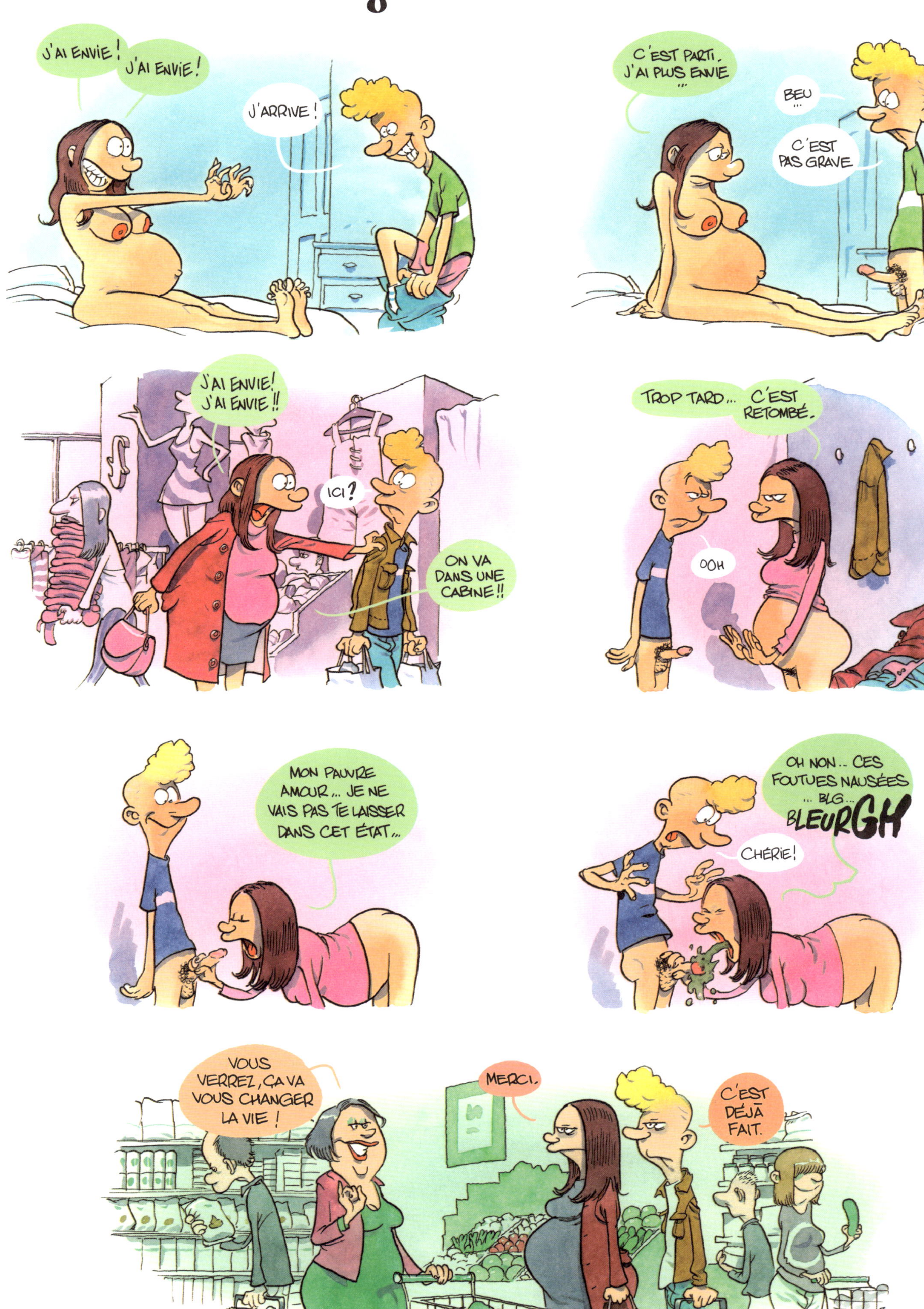

profil pro.

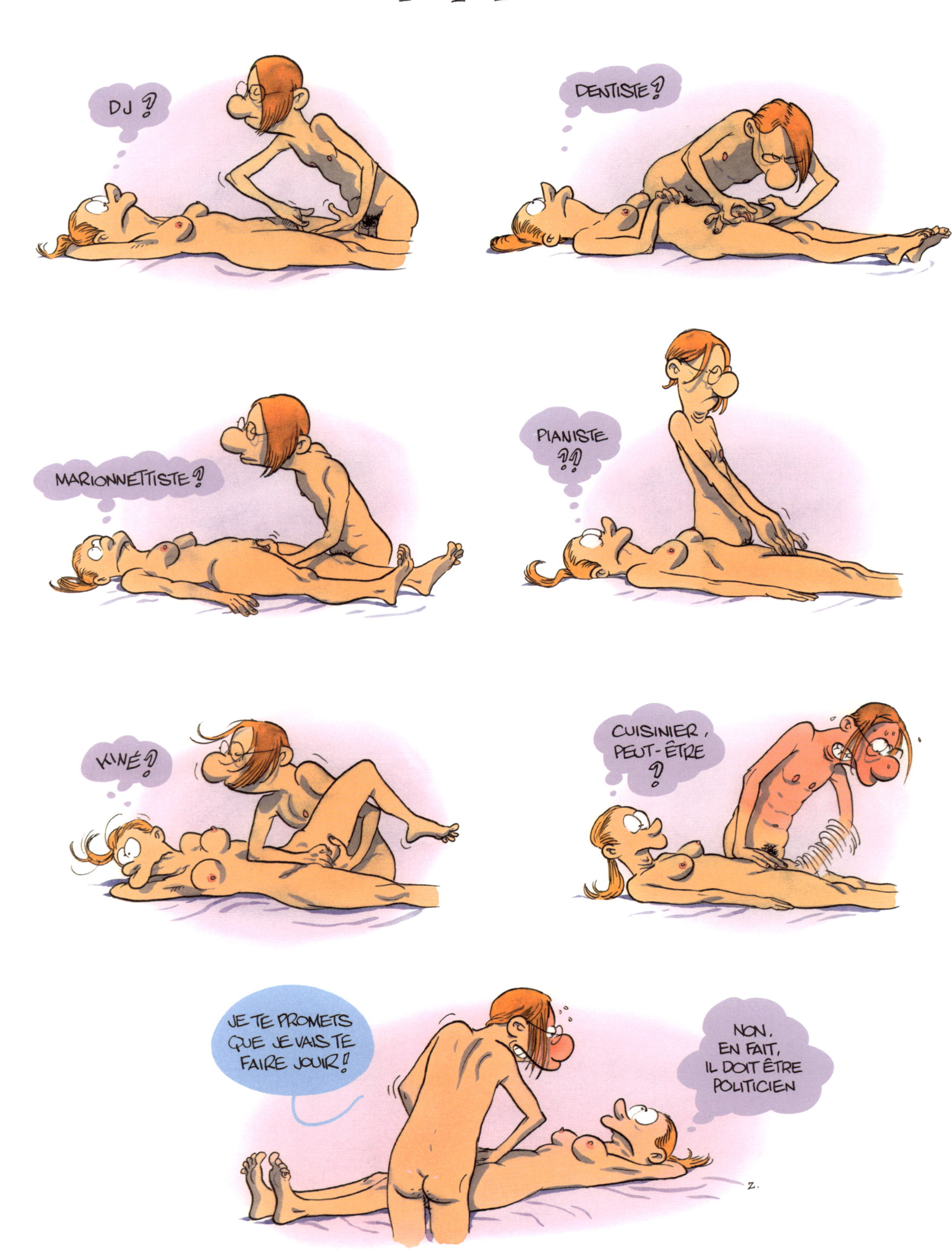

DJ ?
DENTISTE ?
MARIONNETTISTE ?
PIANISTE ??
KINÉ ?
CUISINIER, PEUT-ÊTRE ?
JE TE PROMETS QUE JE VAIS TE FAIRE JOUIR !
NON, EN FAIT, IL DOIT ÊTRE POLITICIEN

strapon.

EN FAIT, ÇA ME GÊNE QUE TU TE DÉGUISES EN MEC.
CHRISTINE QUEENS
HEIN ?

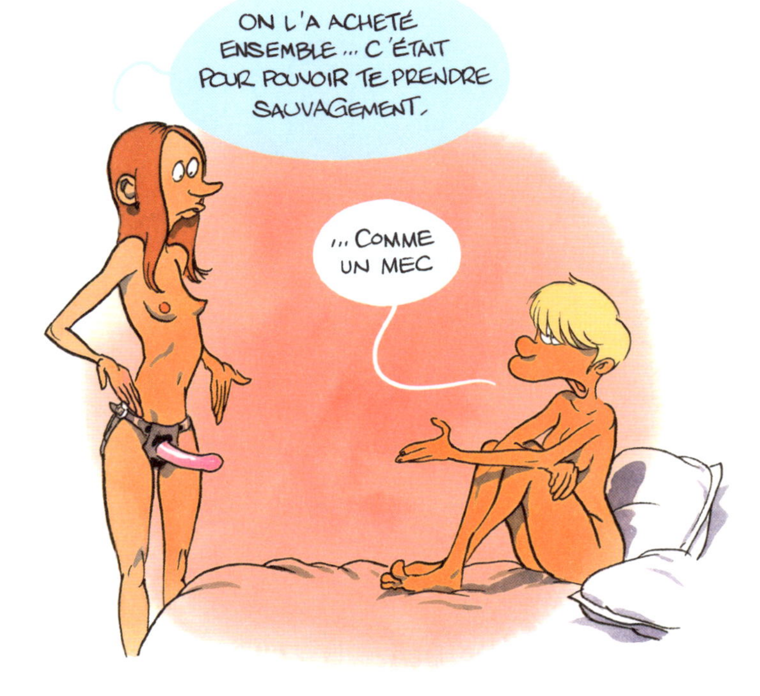
ON L'A ACHETÉ ENSEMBLE... C'ÉTAIT POUR POUVOIR TE PRENDRE SAUVAGEMENT.
... COMME UN MEC

C'EST JUSTE UN SEX-TOY, PAS UNE BITE ! ARRÊTE AVEC TON FÉMINISME À DEUX BALLES !
TU VOIS, TU PENSES DÉJÀ COMME UN MEC.

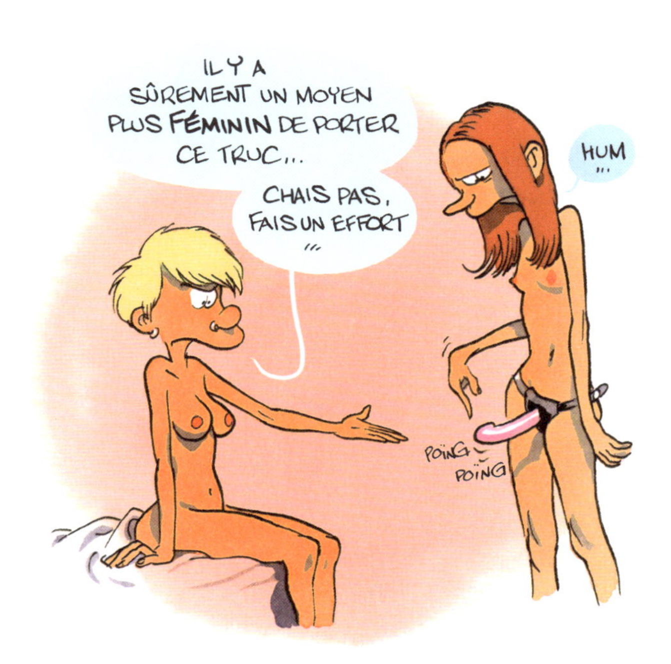
IL Y A SÛREMENT UN MOYEN PLUS FÉMININ DE PORTER CE TRUC...
CHAIS PAS, FAIS UN EFFORT
HUM ...
POÏNG POÏNG

TE FAIRE BAISER PAR UNE LICORNE, C'EST ASSEZ FÉMININ POUR TOI ?
Z.

facial.

AAAH
VAS-Y !
DONNE TOUT !!
MMM

RÂÂRGL
PLIC

ELLE VOUDRAIT QUE JE LUI ARROSE LE VISAGE DE SPERME... MAIS J'ÉJACULE COMME UN CANARI.
ÇA DOIT ÊTRE DE LA QUALITÉ CONCENTRÉE

ON S'EN FOUT ! ON NE VEUT PAS FAIRE UN BÉBÉ PAR LA BOUCHE !!
HUM... ET SI TU TE RETIENS PENDANT PLUSIEURS JOURS ?
PAREIL.

Y A UNE SOLUTION : TU TE MASTURBES TOUS LES JOURS DANS UN SACHET, TU LE GARDES AU RÉFRIGÉRATEUR ... ET AU MOMENT FATIDIQUE : PROUTCH !
PROUTCH ?
T'ES SÉRIEUX ?

BON... J'ESSAIE ...

APRÈS UNE SEMAINE, ÇA COMMENCE À PAYER !

JE VAIS JOUIR !
VAS-Y ! BALANCE-MOI TOUT !!
FERME LES YEUX ! ÇA VA GICLER !!!
PUTAIN ! PUTAIN ! PUTAIN !
IL EST OÙ ??
AH !
ÇA VIENT, MON AMOUR ?
VOILÀ !
PRÉPARE-TOI À L'ÉRUPTION !!!
FERME BIEN LES YEUX GNN
JE VAIS T'INONDER ! GNNN
AAA

YAHAA !
PROUTCH

JE TE JURE ! LE SPERME DE MON MEC A LE GOÛT DE MAYONNAISE !!
AH ? EN TOUT CAS, TES FRITES SONT DÉGUEULASSES

i-levrette.

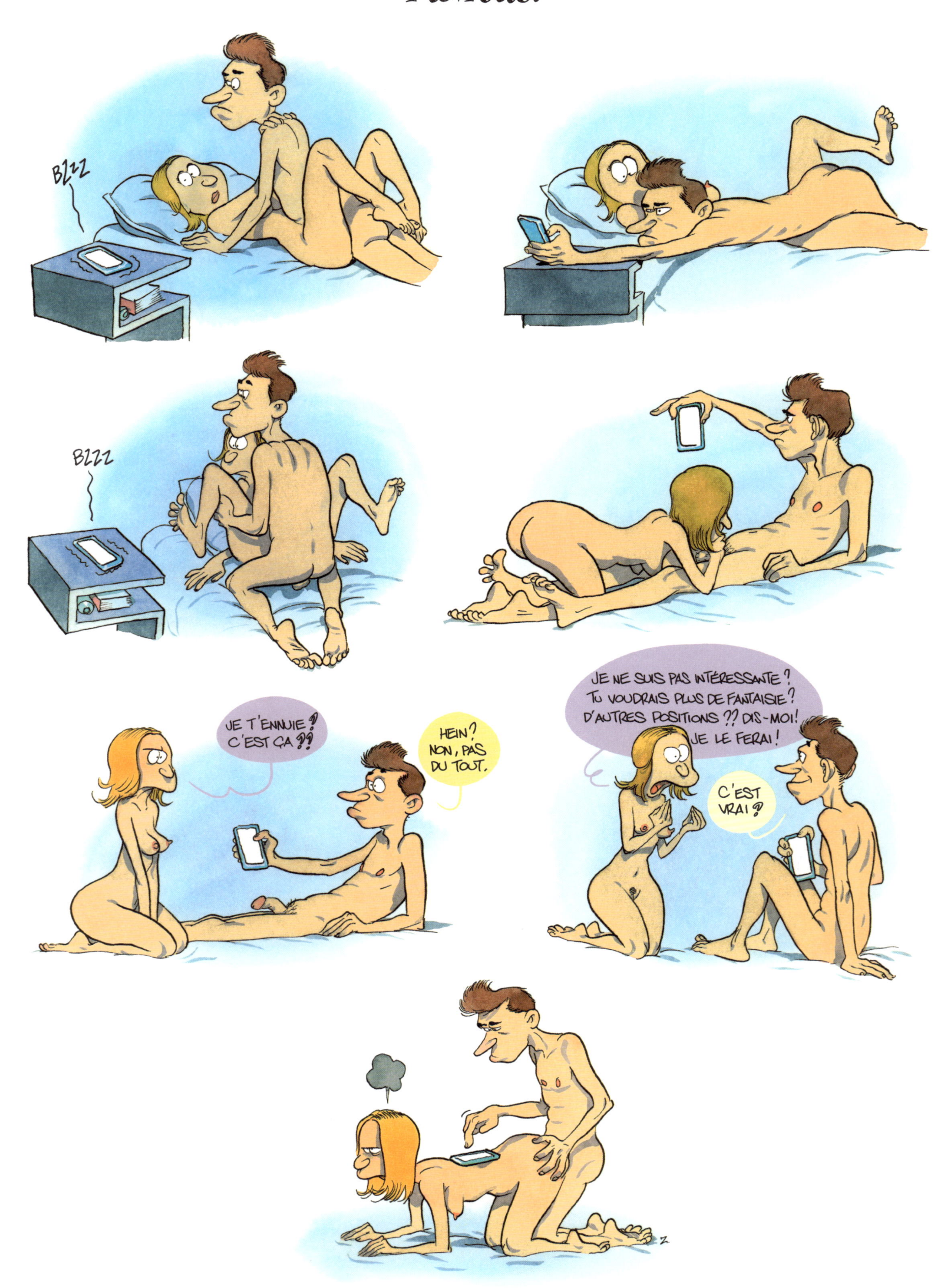

BZZZ
BZZZ
JE T'ENNUIE ? C'EST ÇA ??
HEIN ? NON, PAS DU TOUT.
JE NE SUIS PAS INTÉRESSANTE ? TU VOUDRAIS PLUS DE FANTAISIE ? D'AUTRES POSITIONS ?? DIS-MOI ! JE LE FERAI !
C'EST VRAI ?

la nuit des morts-vivants.

dessous-choc.

tatoo.

WAAA ! T'ES HYPER TATOUÉE !
ÇA TE GÊNE ?
NON NON ...

TROP BEAU, LE TIGRE !
MERCI.

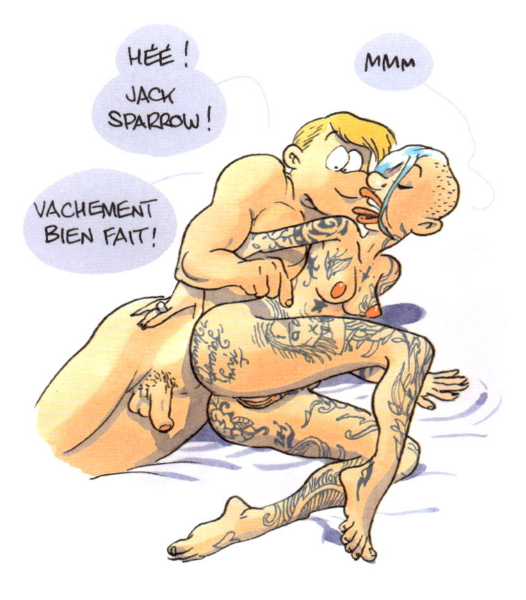

HÉÉ ! JACK SPARROW !
MMM
VACHEMENT BIEN FAIT !

"CHGLOSSAPH CHREIN MALKBL" ... ÇA VEUT DIRE QUOI, LE TRUC ÉCRIT SUR TA FESSE ?
C'EST LA LANGUE DES ELFES ... DANS "LE SEIGNEUR DES ANNEAUX".

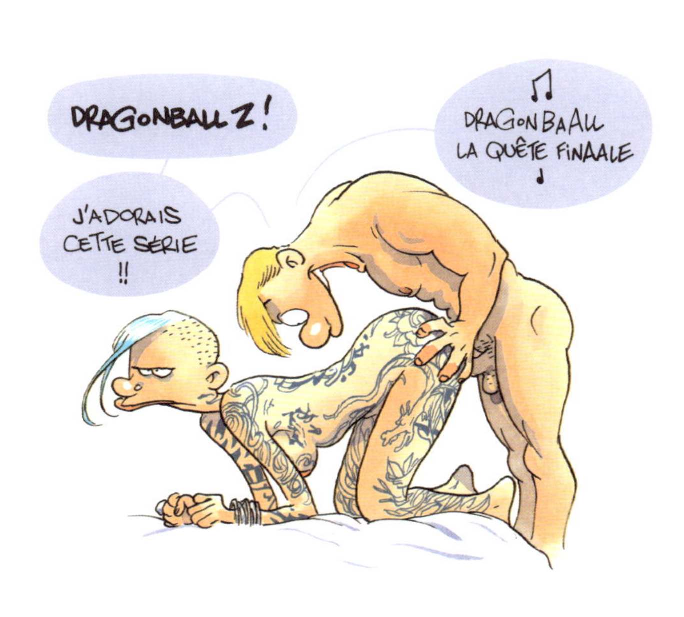

DRAGONBALL Z !
♫ DRAGONBAALL LA QUÊTE FINAALE ♪
J'ADORAIS CETTE SÉRIE !!

ON S'APPELLE, HEIN !
J'AI PAS EU LE TEMPS DE TOUT VOIR -
Z.

Cougar.

ALORS CHÉRI, TU AS QUELQUE CHOSE POUR MOI ?
GRAVE
VAZY QUOI !
KLK
MMM
J'ENVOIE LA PHOTO À KEV... IL VA ÊTRE VÉNÈRE !
-pling-
vazy batar Tu te fé bien sucé
TU M'ÉTONNES !
HAHA
pling
REGARDE LA MEUF QU'IL SE TAPE
FRAÎCHE SALOPE.
ALORS, LA COUGAR... COMMENT C'EST, DE COUCHER AVEC UN DJEUN ?
DIFFÉRENT.

meetic.

BONJOUR
SALUT

HOULA ! T'ES VACHEMENT POILU !
... ÇA TE DÉRANGE PAS DE REMETTRE TON T-SHIRT ?
HEU...
C'EST À CAUSE DU CANAPÉ.

AH... JE VEUX BIEN QU'ON CHANGE DE POSITION...
JE SUIS PAS TRÈS "PARTAGE D'HALEINES" ...TU COMPRENDS ?
AH ? DÉSOLÉ.

TU SORS, HEIN !
JE NE VEUX PAS DE SPERME EN MOI... ÇA ME DÉGOÛTE !
... OK

JE...
JE VAIS JOUIR
ATTENDS !

ÔÔÔ
NON !

RÔÔÔ ! SUR LA MOQUETTE ...
J'AI PAS PU ME RETENIR
MERDE !
J'TE JURE !
FROTT FROTT

'LE PRENDS PAS MAL... MAIS JE PRÉFÉRAIS NOTRE RELATION PAR ORDINATEUR.
C'ÉTAIT PLUS...
MOINS ...
... MOINS SALISSANT
Z.

improvisation.

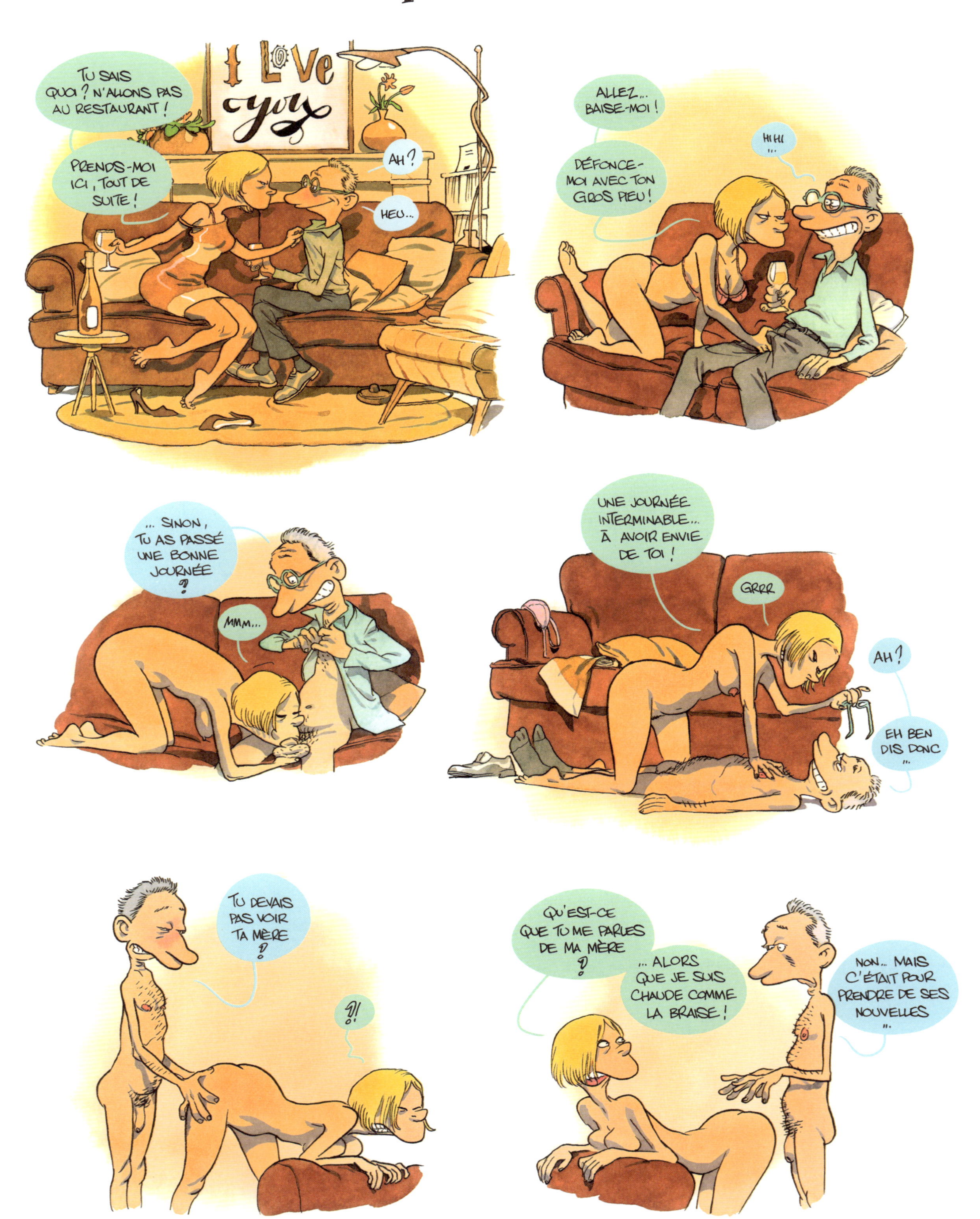

TU PENSES À PRENDRE DES NOUVELLES DE MA MÈRE EN VOYANT MON CUL ?? T'ES MALADE ?!
C'ÉTAIT JUSTE POUR PARLER ...
TU PARLES PARCE QUE TU N'AS PAS ENVIE DE MOI !!
JE LE VOIS BIEN !
SALAUD !
FLAP
MAIS, CHÉRIE ...
CONNARD !
JE... JE T'AIME
CASSE-TOI !!
HEU ...
NON, JE SUIS DÉSOLÉ, LA PILULE DE VIAGRA NE PEUT PAS FAIRE EFFET AVANT 30 MINUTES ...
DIPLÔME
Z.

hotline.

MON AMOUR, J'AI ENVIE DE TOI...
TA PEAU ME MANQUE

J'AIMERAIS QU'ON SOIT RIEN QUE NOUS DEUX...
RESPIRER TON COU

... EMBRASSER TES SEINS
?
"TES SEINS"

JE GLISSE MA MAIN JUSQU'EN HAUT DE TES CUISSES...

JE LÈCHE TON...
HEIN ?
NON. TES CUISSES
JE DISAIS : "JE GLISSE MA MAIN JUSQU'EN HAUT DE TES CUISSES"
"CUISSES"

QU'EST-CE QUE TU NE COMPRENDS PAS ?
J'ESSAIE D'ÊTRE EXCITANT AU TÉLÉPHONE... C'EST PAS FACILE.
...SI EN PLUS TU COMPRENDS UN MOT SUR DEUX !

... ABRÉGER ?
BON. JE SORS MA QUEUE. ELLE EST ÉNORME ET BRÛLANTE.

MA QUEUE !
MON SEXE.
MA BITE.

TU L'AVALES TOUTE ENTIÈRE
AVALES
ALLÔ ?

"AVALE TOUTE ENTIÈRE"
MAIS OUII, JE SUIS AVEC TOI !

S.M.

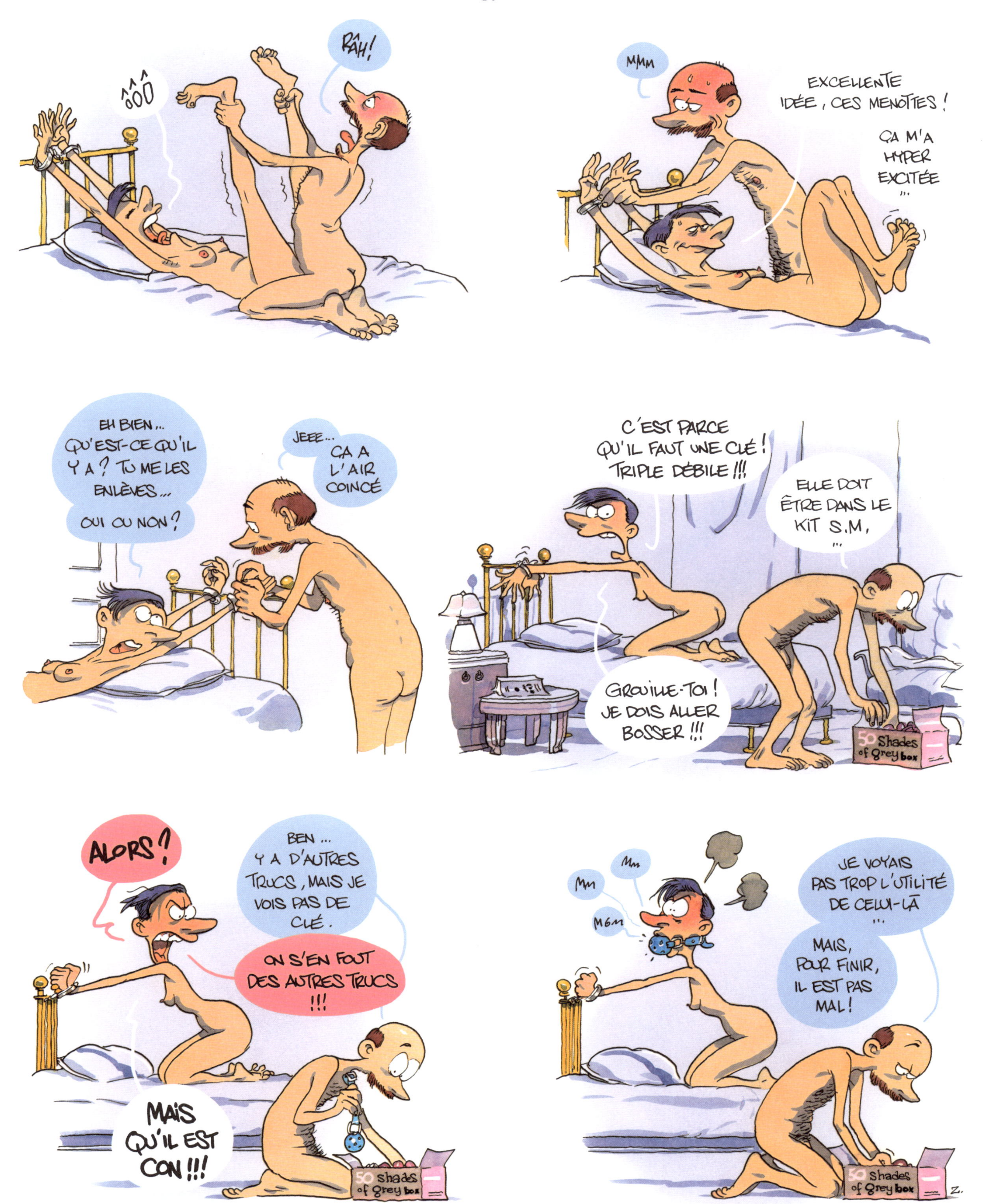
ÔÔÔ
RÂH!
MMM
EXCELLENTE IDÉE, CES MENOTTES !
ÇA M'A HYPER EXCITÉE ...
EH BIEN... QU'EST-CE QU'IL Y A ? TU ME LES ENLÈVES...
OUI OU NON ?
JEEE...
ÇA A L'AIR COINCÉ
C'EST PARCE QU'IL FAUT UNE CLÉ ! TRIPLE DÉBILE !!!
ELLE DOIT ÊTRE DANS LE KIT S.M. ...
GROUILLE-TOI ! JE DOIS ALLER BOSSER !!!
50 shades of grey box
ALORS ?
BEN ... Y A D'AUTRES TRUCS, MAIS JE VOIS PAS DE CLÉ.
ON S'EN FOUT DES AUTRES TRUCS !!!
MAIS QU'IL EST CON !!!
50 shades of grey box
MM
MM
MGM
JE VOYAIS PAS TROP L'UTILITÉ DE CELUI-LÀ ...
MAIS, POUR FINIR, IL EST PAS MAL !
50 shades of grey box
Z.

Social.

eros club
ON ESSAIE... MAIS SI T'ES PAS À L'AISE, ON S'EN VA, HEIN !
OK.
LES VESTIAIRES SONT PAR LÀ...

OH ! REGARDE ! LES BRUCHET !
...?

ÇA, C'EST DINGUE ! QU'EST-CE QUE VOUS FAITES ICI ?
BEN ...

MAIS OUIII... NOS FILLES ÉTAIENT COPINES À LA CRÈCHE !
SAMANTHA, LA PETITE ROUQUINE...
MM ?

CHÉRI ! C'EST LE MONSIEUR QUI AVAIT REFAIT NOTRE CUISINE ! TU TE RAPPELLES ?
HEU...

IL FAUT QU'ON S'ORGANISE UNE BOUFFE UN DE CES QUATRE !
VOUS AVEZ DE QUOI NOTER MON NUMÉRO ?

eros club
TU ES UN PEU **TROP** À L'AISE.

massage érotique.

célib.com

LES MECS SONT TOUS ILLETTRÉS.

J'AVAIS L'IMPRESSION DE DRAGUER DES ÉLÈVES DE CP...

HUM ...

NON, MAIS ATTENDS ! ILS SONT PAS FOUTUS DE FAIRE UNE VRAIE PHRASE ! SUJET-VERBE-COMPLÉMENT !!

ET ACCORDER LES VERBES, PUTAIN !!

JE TE JURE, J'AI FAIT UN EFFORT... J'AI TENTÉ D'ÉLEVER LE DÉBAT...

molle.

BANDE ! BANDE !

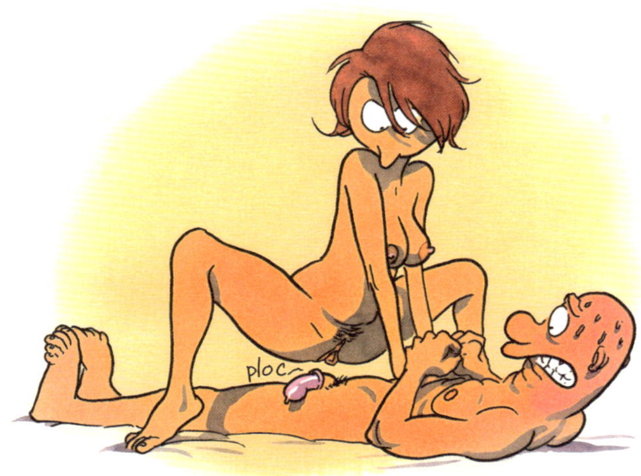
ploc

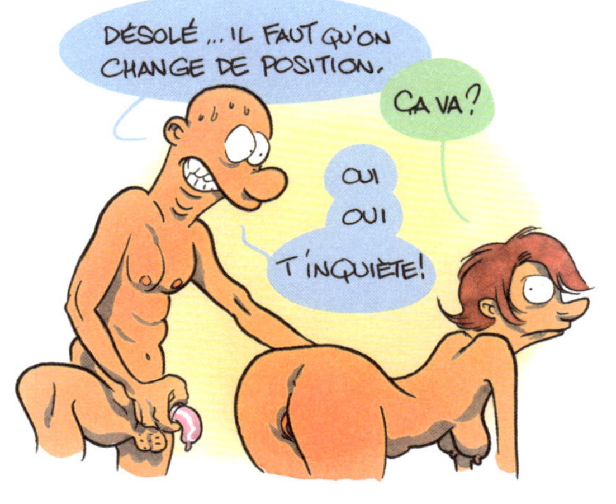
DÉSOLÉ… IL FAUT QU'ON CHANGE DE POSITION.
ÇA VA ?
OUI OUI T'INQUIÈTE !

ALLEEEZ RENTRE ! MAIS RENTRE !!!
TU AS UN SOUCI ?
AUCUN SOUCI !

PARCE QUE, SI JAMAIS, ON LAISSE TOMBER
AUCUN SOUCI, JE TE DIS !
LA ZAPPETTE !!!

BOUGE PAS !
C'EST LA CAPOTE QUI AVAIT GLISSÉ !
JE LA REMETS !
ÇA PEUT ARRIVER, UN COUP DE MOU !!!

C'EST MOU, ÇA ?!
PIK

ET ÇA ?! C'EST MOU ?!?!
AAAAH

DIS DONC, T'ES UN SUPER COUP, TOI !
HÉ ! HÉ !
C'ÉTAIT PARTI MOLL… HEU… DOUCEMENT, MAIS APRÈS : WAAA !
BOF BOF
HÉHÉ !

ON SE REGARDE UN FILM ?

le langage des fleurs.

mode d'emploi.

mutuelle.

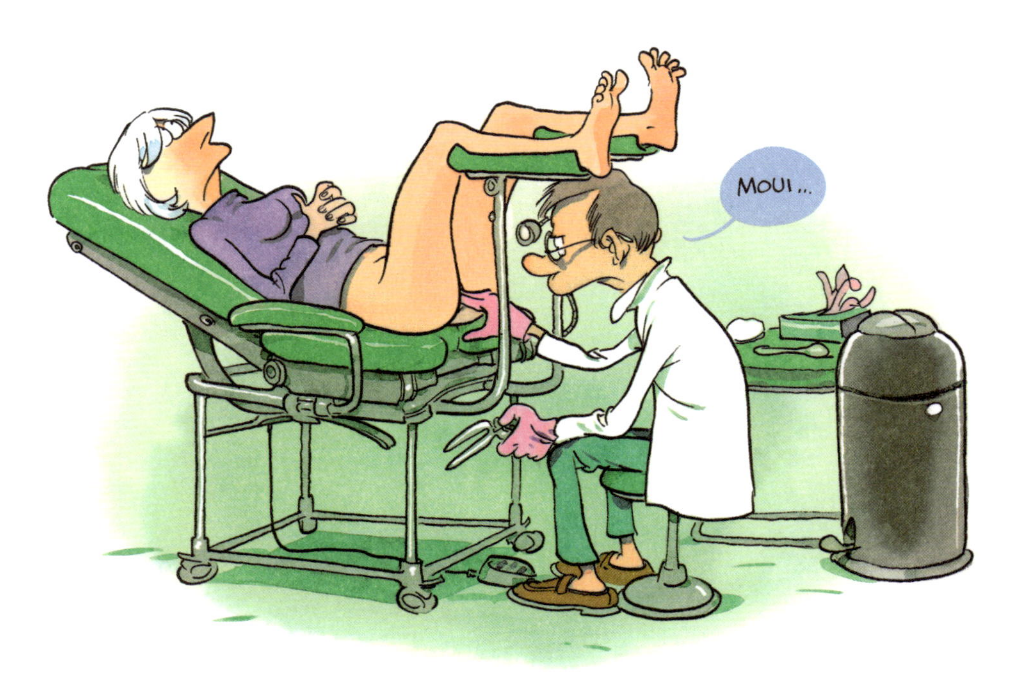
MOUI...

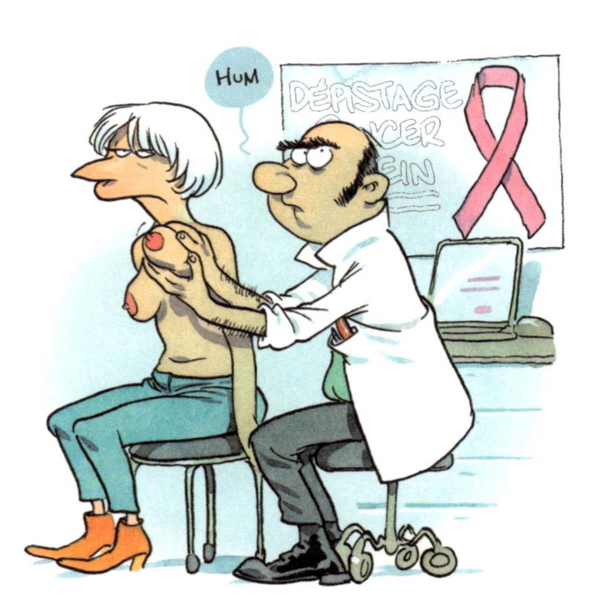
HUM
DÉPISTAGE

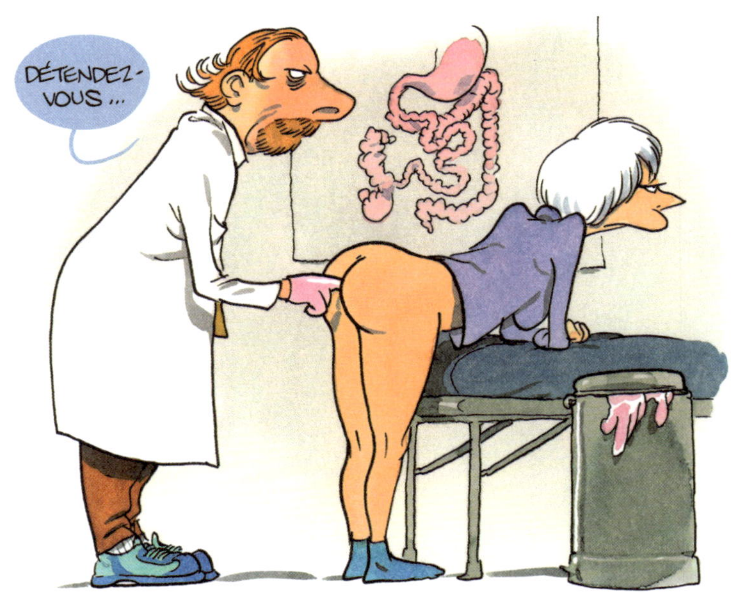
DÉTENDEZ-VOUS...

C'EST COMMENT, TA VIE SEXUELLE, EN CE MOMENT ?
REMBOURSÉ PAR LA SÉCU
CRÊPERIE
Z.

happy new sex.

technicolor.

apéro.

SANTÉ !
OUI, SANTÉ !
ET MERCI POUR L'INVITATION !

IL FAIT CHAUD, NON ?
NON, ÇA VA. TU VOUDRAIS QUE J'OUVRE LA FENÊTRE ?
NON C'EST PARFAIT.

'IL FAIT CHAUD'... PAS POUR OUVRIR LA FENÊTRE ! CHAUD ! CHAUD !... GENRE : TU ENLÈVERAIS BIEN TON PULL !
MAIS C'EST HYPER-LÉGER, C'EST DU LIN.

LAISSE TOMBER... VOUS N'AVEZ PAS FAIM, LES FILLES ?
AH OUI ! PIZZA ?
PIZZA !

NON ! PAS 'PIZZA' !
AH BON ?

JE PENSAIS À QUELQUE CHOSE DE BEAUCOUP PLUS DUR.
KLIK
DES BRUSCHETTAS ?
MA GRAND-MÈRE FAISAIT LES BISCUITS LES PLUS DURS DU MONDE !

LA MIENNE AUSSI ! DES BISCUITS À LA NOIX DE COCO...
PAREIL ! DU VRAI BÉTON !
HIHI

ALORS ?... HIER SOIR, TON PLAN À TROIS ?
LAISSE TOMBER.

ma meuf est prof.

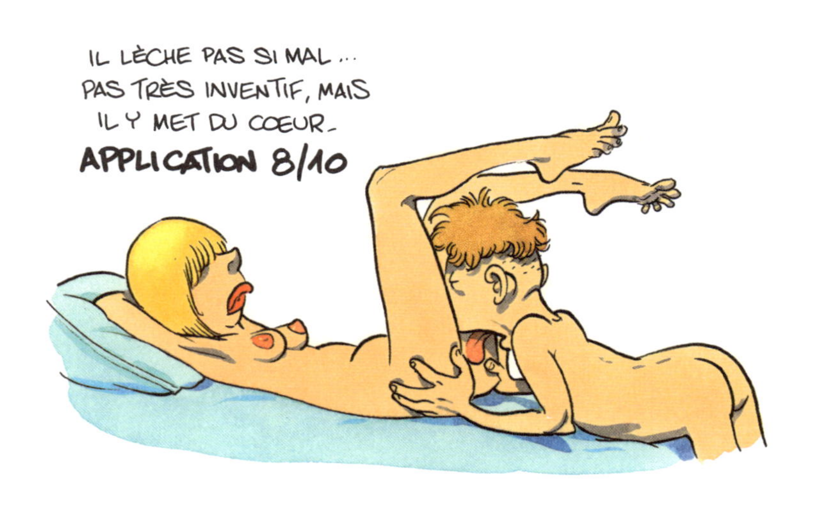

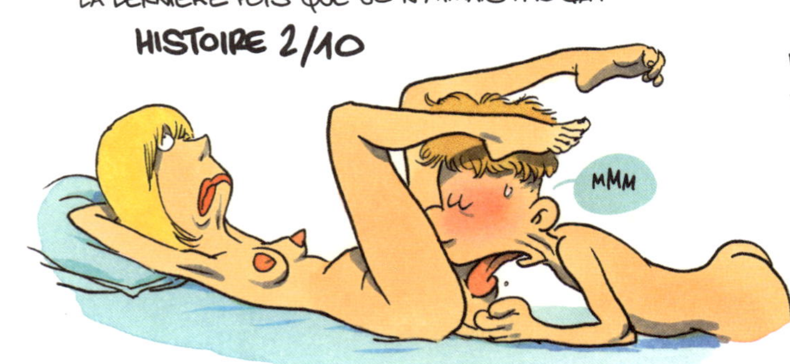

HMM... BONNE ENDURANCE, LE RYTHME EST SOUTENU, PAS D'ESSOUFFLEMENT...
GYMNASTIQUE 9/10
HAN !
HAN !

les bonnes manières.

les selfies de Sophie.

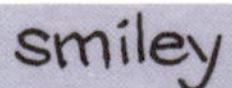

smiley

Licorne

Miss you 💔

Mon copain Raymond

J'ai la langue chargée, docteur...

J'ADORE RECEVOIR SES MESSAGES...

... SAUF LE DIMANCHE, QUAND JE VAIS MANGER CHEZ MES PARENTS.

spa.

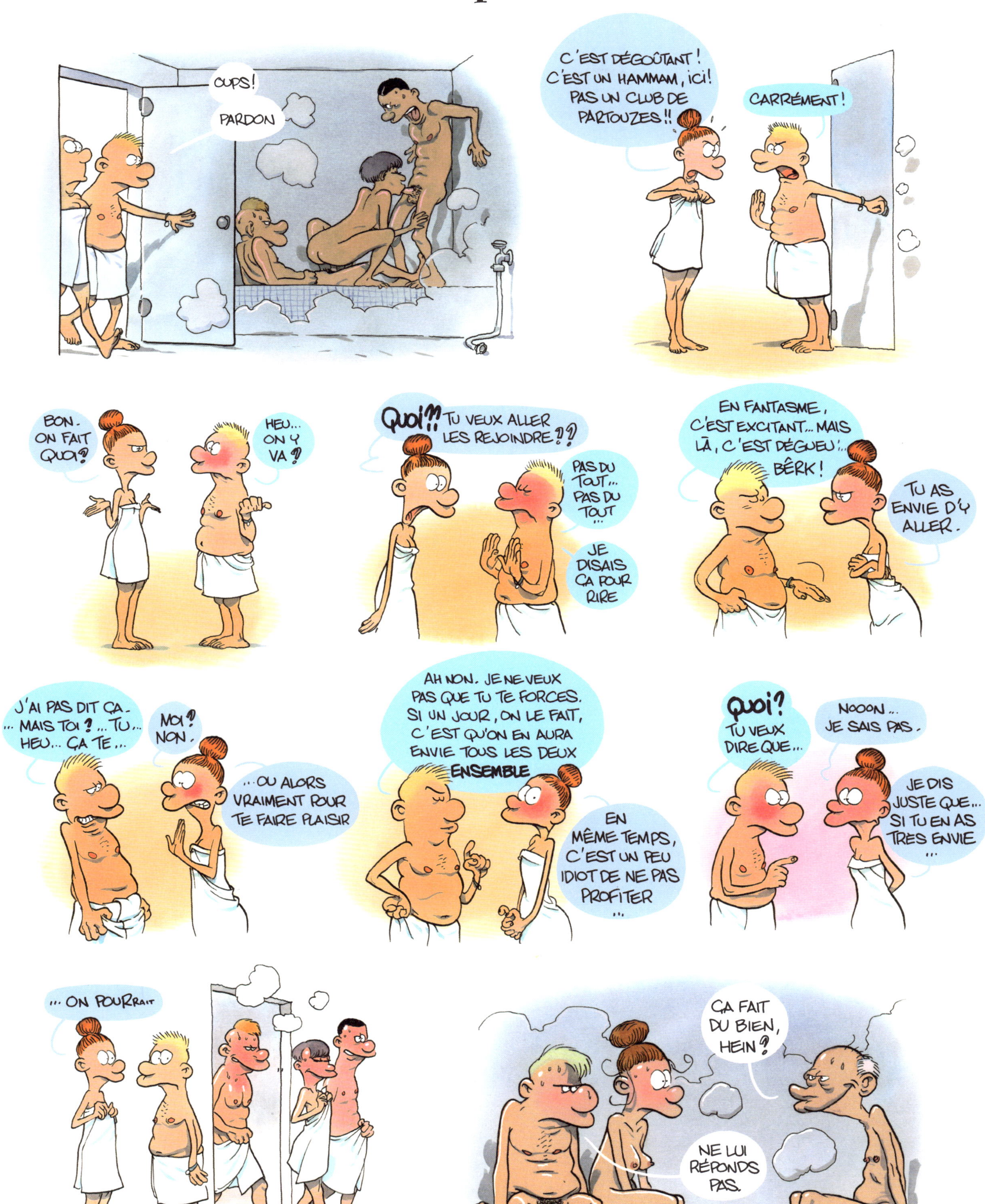

OUPS !
PARDON
C'EST DÉGOÛTANT ! C'EST UN HAMMAM, ICI ! PAS UN CLUB DE PARTOUZES !!
CARRÉMENT !
BON. ON FAIT QUOI ?
HEU... ON Y VA ?
QUOI ?! TU VEUX ALLER LES REJOINDRE ?!
PAS DU TOUT... PAS DU TOUT...
JE DISAIS ÇA POUR RIRE
EN FANTASME, C'EST EXCITANT... MAIS LÀ, C'EST DÉGUEU... BÈRK !
TU AS ENVIE D'Y ALLER.
J'AI PAS DIT ÇA. ... MAIS TOI ? ... TU... HEU... ÇA TE...
MOI ? NON.
... OU ALORS VRAIMENT POUR TE FAIRE PLAISIR
AH NON. JE NE VEUX PAS QUE TU TE FORCES. SI UN JOUR, ON LE FAIT, C'EST QU'ON EN AURA ENVIE TOUS LES DEUX ENSEMBLE
EN MÊME TEMPS, C'EST UN PEU IDIOT DE NE PAS PROFITER ...
QUOI ? TU VEUX DIRE QUE...
NOOON... JE SAIS PAS.
JE DIS JUSTE QUE... SI TU EN AS TRES ENVIE ...
... ON POURRAIT
ÇA FAIT DU BIEN, HEIN ?
NE LUI RÉPONDS PAS.

romantisme.

DIS...
HEU...
J'AVAIS UN TRUC À TE DEMANDER ...
OUI ?
TU VEUX ME SODOMISER, C'EST ÇA ?
HEU...
VAS-Y !
ÇA TE PLAÎT, HEIN !
OUI
OUI
MAIS... EST-CE QUE JE PEUX... HEU...
... ÉJACULER SUR MON VISAGE ?
HEU...
... SUR MES SEINS ?
... PARTOUT !
ÂRGL

TU M'ENVOIES UN MESSAGE QUAND TU AS UN MOMENT, LA SEMAINE PROCHAINE ?
ALLEZ, SALUT MEMBRAX 66 !
SALUT...

ÇA FAIT SIX FOIS QUE TU LA VOIS, ET T'AS TOUJOURS PAS OSÉ LUI DEMANDER SON PRÉNOM ?!
JE SUIS TROP TIMIDE ...
Z.